佐藤愛子の箴言集

ああ
面白かった
と言って
死にたい

sato aiko
佐藤愛子

海竜社

佐藤愛子の箴言集　ああ面白かったと言って死にたい——目　次

〔老い〕老いは人生の総仕上げである

人生の総仕上げ　16
迷いの原因　17
沢山生きて来た　18
必要な存在　19
年をとるということ　20
心の底の不安　22
老後の幸福　23
人間の自然であったはずが……　24
ボケるものはボケる　26

女のたしなみ 27
スローガンのハタ迷惑 28
自分の後ろ姿を知っているか 30

〔死〕ああ面白かったと言って死にたい

何とかうまく死にたい 32
その人生が完了する時 34
あるがままに受け容れよう 36
いかに上手に死を迎えるか 38
生きるのもたいへん、死ぬのもタイヘン 40
己れの死はわからぬ 42
ああ面白かった! 43

〔人生〕思い通りの人生は退屈である

退屈な人生 46
人生につまずきは必要 47
無知を怒ること 48
平穏は退屈を産む 49
失敗は気にすることはない 50
悲しみを秘めて 51
人の鍛え方 52
ストレス解消法 54
笑う立場　怒る立場 56
行為せぬ者 57
豊かな時は豊かなように、貧しい時は貧しいなりに 58

人生は？　59
ムリはいけない　60
私が大切にしたいもの　61
悲劇を喜劇に　62
絶対に安全ではない　63
暢気になる　64
ことの表裏　66
生き甲斐はどこだ？　68
荒波のきりぬけ方　69
そうして人は生きる　70

〔幸福〕めげずに生きようとする力

幸福の形 72
幸福のヒダ 73
私の幸福 74
見ないほうがいいもの 75
あれこそ幸福 76
人それぞれの幸、不幸 78
覚悟が必要 79
幸福によって闘う 80
女の幸福 82
幸福の根 83
耐えている自分を誇りに 84

私の財産　85
堕落した！　86
物質的満足が幸福か？　87
避けるべきは〝苦しむこと〟？　88
恐いもの　89
人は無力である　90
倖せな人間　91

〔性《さが》〕私はこんなふうに生きてきた

私の性《さが》　94
ありのままに生きる　95
逃げなかった！　96

強くなった女 97
人生の宝 98
「ひとのせい」では決してない 100
上機嫌で憤怒する 102
損から産み出せ 103
「アホ」といわれることも 104
失敗って? 106
ヤセ我慢の効用 108
笑いは活力のもと 110
強くなるために 111
猛女の高笑いへも眼差しを 112
我慢の力 114

男運が悪いんじゃない　116
私の健康法　117
私の中にはまだまだある　118

〔家庭教育〕生きる力を培ったもの

書くことで　120
私の受けた家庭教育　122
幸福になるか不幸になるか　124
悲運のおかげ　126
この世の常識　128
荒唐無稽の自信　130

〔人間〕興味と愛情が尽きせぬ存在

身を削る　134
友情には時間が必要　135
それぞれのらしさ　136
持って生まれたもの　137
人間の幅　138
よい、悪いはない　140
人間に賭ける　141
人間が包蔵しているもの　142
見えそうで見えないもの　143
優しさの条件　144
苦労の経験によって　145

矛盾を生きること　146
心配には愛情がある　147
ありのままでいい　148
悪口は人なり　150
大事なのは想像力　152
まことの偉人　153
人への期待　154
〔男と女〕マコトの女　いい男
愛とは？　156
愛のない人生　157
愛は終わった　158

女のユーモア　159
〈どうしようもない〉ことに耐える　160
真剣勝負　162
女自身に対して　163
面魂　164
美しい中年　165
マコトの女　166
強さよりも大きくなることを　167
男の美しさ　168
女にサービスできる男　169
いい男　170
男の美学　172

男の涙　173
考え違い　174
決断が背負うもの　176

〔夫婦〕失敗しても結婚した方がいい

亭主はいた方がいい　180
きめつけることはない　181
夫から男友達へ　182
男と女のチガイ　184
夫婦の不思議　186
似たもの夫婦　188
夫婦はこの時のためにある　190

勝つも負けもない 192
比較は意味がない 194
あとがき 196

装丁——川上成夫

〔老い〕

老いは人生の総仕上げである

人生の総仕上げ

人間すべて老いれば孤独寂寥《せきりょう》に耐えねばならないのである。それをしっかり耐えることが人生の総仕上げなのだ。

『女の怒り方』（エッセイ）

迷いの原因

若いうちには迷いが多いというが、それは間違いである。年をとると迷いが増える。色んな経験をして、色んな人の気持がわかるようになるということが、この迷いの原因なのである。

『枯れ木の枝ぶり』（エッセイ）

沢山生きて来た

今の世の中は無駄なもの、即効性のないものは切り捨てられて行く世の中だ。老人の価値はどこにあるか？　と聞いた人がいた。あたかも価値があれば認め、価値がなければ切り捨てようと気構えているかのように。

老人の価値は若者よりも沢山の人生を生きていることだと私は思う。失敗した人生も成功した人生も頑固な人生も、怠け者の人生も、それなりに生きて来た実績を抱えている。

『破れかぶれの幸福』（エッセイ）

必要な存在

大切なことは、若い者にとって、年寄りの存在が必要であることを感じさせる老人になることだ。
必要といってもただ、子守りとか留守番などというような日常の便利ではない。人生の先輩、経験者としてイザというときにいい知恵を貸してもらえるという信頼を若者に与える老人になることである。ふだんはうるさい姑さん、ガンコばあさんでも、信頼と尊敬を持てる人間であれば若い者は一目おくし、その存在を必要とするものなのだ。

『こんないき方もある』（エッセイ）

年をとるということ

この頃、私は人を断定的に評価することが出来なくなってきた。これはどうやら、私が年をとって来たことと関係があるらしい。私の場合、年をとるということは、自信が出来るということではなく、むしろその逆になって来ている。もしかしたら、違うかもしれない――。

もしかしたら、本当かもしれない——。

もしかしたら、もしかしたら、と絶えず揺蕩《たゆた》いながら人を見ているのは、断定するだけの気力に欠けて来たためかもしれない。

しかし考えてみると世間には、常識としての「人間の見方」というものがあって、我々はその見方にのっとることによって、人間を断定し、それによってどうやら世の中を円滑に渡って行けるという仕組になっているようである。

『老兵は死なず』（エッセイ）

心の底の不安

皆が老い込んではならない、と思っている。年よりも若く見えることを誰もが望んでいる。そのために散歩やジョギングをし、血圧を安定させるべく努力し、コレステロールの心配をし、蛋白《たんぱく》を調べ、定期検診を欠かさず、食物に留意し、クスリを飲み、おしゃれを心がける。まるでそれが強迫観念になっているかのように、あれに効く薬、これに効く食物、西洋医学、東洋医学、あっちにもこっちにも頼って、健康を考え老いに抵抗し、それでいて、いやそうすることによって却《かえ》って心の底に不安を抱え込んでしまう。

『こんなふうに死にたい』（エッセイ）

老後の幸福

誰かの役に立つ。報酬なしでだ。それこそ誇るべき老後の幸福だ。

『凪の光景（下）』（小説）

人間の自然であったはずが……

かつて、老いは自然にやってくるものだった。春が来て花が咲き、やがて実を結び、そうしていつか葉を落して枯れ朽ちて土に戻るように、自然の廻《めぐ》りに従って人は老いに入っていった。特別に身構えも覚悟もいらなかった。それが人間の自然であるということを誰もが一様に知っていて、それに従った。長寿がめでたいのは、長く生きたことによって自然に枯木になって死んでいけるからであろう。エネルギーが涸《か》れれば、執着も自我も怨《うら》みも嫉《ねた》みも、そして死への怖れも枯れていく。「煩悩《ぼんのう》の解脱《げだつ》」など、我々凡人には肉体が枯れる以外にそうた易《やす》く出来るわけがないのである。

我々は長命を与えられた。それでいてなかなか枯れない。死は悪であるかのように拒否されている。近づく死を近代科学は総力を挙げて押し返す。その力に頼り、縋《すが》ることによって我々は死と対峙《たいじ》することを回避し、引き延ばす。

「人間というものは、どんな状態に陥っても生きつづけたいと思うものだ」

と医師は信じている。そしていう。

「人はどこまでも生きようという意欲を持たなければいけません」

しかしそれでも尚《なお》、死はやはり、やってくるのである。

『こんなふうに死にたい』（エッセイ）

ボケるものはボケる

あれやこれや考えたところで、ボケるものはボケるのだ。死ぬものは死ぬ。仕方がない。すべて神のみ心のままだ。

他人の無理解、噂、誹謗《ひぼう》、屁《へ》とも思わず生きてきた吾輩である。ボケてもの笑いになったからといって、今更のことじゃない。さんざん、迷惑をかけて六十八年生きてきた吾輩だ。今更「迷惑をかけたくない、」などと気取っても始まらない。

そう度胸を据えて、ボケるものは怖れずボケることにした。手に余るようならさっぱりと殺してくれればいい。

——と強がりつつ、その胸を蕭々《しょうしょう》と風が吹いている。

『我が老後』（エッセイ）

女のたしなみ

自分が今、女としての、どのへんの位置に存在しているか、それを正しく認識するのが女のたしなみというものであろう。若すぎてもいけないし、老けすぎてもいけない。

『こんないき方もある』（エッセイ）

スローガンのハタ迷惑

「いつまでも美しく、若々しく！」中年女性を励ます会のこのスローガンに感激した女性がいる。

「いつまでも美しく、若々しくあるためには老いの意識を持つのが一番いけません。自分は老いたと思うときから老いは始まるのです」

そういえばそうかもしれないが、人目には老いが見えているのに、自分では老いたと思わないのも、これまたハタ迷惑なことではないだろうか。

「いつまでも美しく、若々しくあるためには老いの意識を持つのが一番いけません！」

彼女がいけないのではない。このスローガンがいけないのである。

『愛子の日めくり総まくり』（エッセイ）

自分の後ろ姿を知っているか

私たちは朝夕鏡を見る。鏡を見て自分を知ったつもりでいる。だが私たちが本当に見なければならないのは自分の後ろ姿なのである。

『愛子のおんな大学』（エッセイ）

〔死〕

ああ面白かったと言って死にたい

何とかうまく死にたい

五十歳を超えた頃、深夜にふと目覚めた時など、死を思って暗澹《あんたん》とした日々があった。今七十歳になって、あの時の恐怖不安を蘇らせようとするが、なぜかどうしても実感出来ない。年をとって死に近くなったために却って恐怖がなくなるという人間心理は面白い。人間とはなかなかよく出来ているものだと思う。七十年近くも生きてくればこの世に飽きがくるということもあるし、情念は涸れて欲望は減退し、楽しいこともたいしてなくなる。エネルギーの涸渇《こかつ》が諦念《ていねん》を呼んでくれるのであろう。

とはいうものの、死は怖くなくなったが、何とかうまく死にたいものだという思いは強い。うまくというのはジタバタしないで、という意味だ。

静かに死を受け容れるためには、我慢の力を培っておくよりしようがない。医薬の力には限度がある。結局は自分の問題は自分で背負わなければならないのであるから、我慢が出来ないと苦しみは倍加するであろう。

そう考えてくると「いつまでも若々しく美しく、楽しい老後を過ごすには」などと暢気にいってもいられないことに気がつくのである。

長生きをして我慢の力を涵養《かんよう》し、自然に枯れて行って枯木のように朽ち倒れる――。

それが私の理想の死である。

枯れ朽ちて死んだ身には葬式など、どうでもよい。葬式は死者のためのものではなく、遺された人のセレモニィであろう。義理の花輪が立ち並び弔問客が大勢集まったとしても、次元の違う世界に行った魂には嬉しくも何ともないだろう。

『戦いやまず日は西に』（エッセイ）

その人生が完了する時

なぜ我々は死んではいけないのだろう？

そういう素朴な疑問を私は持つ。家族や社会に対する責任を果すために生きなければならないとある人はいう。またある人は、それ（なぜ死んではいけないのかなどということ）はあなたが健康で、死がまだ遠くにあるからそういうことをいうのであって、実際に死に瀕《ひん》した時は、どんな状態でもいい、生きつづけたいと切実に思うものです、といった。それが人間の本能なのだから、否定することは出来ないと。

しかし、たとえそれが人間の本能であったとしても、その一方で人の精神は老い衰えて行くことによって、自然に死を受け容れる準備を整えるものではないのか。それが最も人間らしい死でありそれによってその人生は完了するのである。

その諦念《ていねん》を乱すのが「死は悪」だとする医師たちの思い込みである。回復の望みのない病人がふと目を開いて、「ああ、私はまだ生きていたのか」と思う。その時に喜びがあるのか、絶望があるのか。死を受け容れる準備をどこで整えればいいのかわからないままに、ズルズルと生きつづけさせられて、なしくずしに消えて行く。そんな死を思うと私は暗澹《あんたん》とせずにはいられない。

『何がおかしい』（エッセイ）

あるがままに受け容れよう

どんなふうに死にたいか、と私は時々自分に訊《たず》ねる。殆《ほとん》どの人が願うように私もやはり「ポックリ」死ぬことが理想である。しかしそんな幸福な人はごく少数の選ばれた人たちであろうから、私はやがて訪れる私の死を何とか上手に受け容れたいと考える。上手に受け容れるということは、出来るだけ抵抗せず自然体で受け容れたいということだ。

そのために私は（昔の人がしたように）死と親しんでおかなければならないと

思う。死を拒否しようと努力するのでなく、馴染《なじ》んでおきたいと思う。少しずつ死に近づいていよう。無理な健康法はするまい。不自然な長命は願わない。余剰エネルギーの始末に苦しまなくてもいいように、身体《からだ》に鞭《むち》打《う》って働きつづけよう。「人間の自然」を見詰めよう。死は苦しいものかもしれないが、それが人間の自然であれば、あるがままに受け容れよう。ボケ老人になることも人の自然であれば、それを受け容れよう。ボケることによって死の恐怖を忘れ、種々の妄念《もうねん》から解放されて死んでいく。あるいは老いてボケることは、神の慈悲というものかもしれないのである。ならば遠慮なくその慈悲を受け容れよう。

『こんなふうに死にたい』（エッセイ）

いかに上手に死を迎えるか

健康法というものは「いつまでも元気に生きるための知恵」である。だが私はいかに上手に死を迎えるかということの方が大事になってきた。子供が幼い頃は、この子のために長生きしなければならないと考えていたが、子供が巣立った後はべつに長生きをしなければならないという切実な気持はなくなってきた。

子供を育てる間は自分の楽しみを後廻しにしてきた。だからこそ、これからは自分の楽しみを楽しむんです、このためにこそ励んできたのではないの、という人がいる。だが私には情けないことに老後の楽しみなんて何も見当らないのである。おいしいものも食べたいと思わないし、物見遊山も疲れるばかりだ。そんな私にどうして健康法が必要だろう。

自分を自然に任せきること。この「自然」を「神」と考えてもらってもいい。未練執着を捨て迷わずに自然の意志に添うためには、健康法は邪魔なばかりなのである。

『上機嫌の本』（エッセイ）

生きるのもたいへん、死ぬのもタイヘン

死期が来たのを感じて、
「ありがとう……」
折角最後の言葉を残して静かにあの世へ行こうとしているのに、それ強心剤だ、
やれ点滴だ、心臓マッサージだと無理ヤリ引き止められ、気がついたらまだ生き

ているではないか。そこでまたやり直し。

「ありがとう、さよなら」

という。そして死んで行こうとするのにまた襟髪《えりがみ》摑《つか》んで引き戻される。ふり切って死ぬにも点滴に縛られて、気息奄々《えんえん》生きさせられる。

ああ、いったい私はどこで「ありがとう」をいえばいいのか。現代の科学が神の意志と戦うのは勝手だが、科学と神の間でウロウロする私の方はたまらない。

生きるのもたいへんだが、今は死ぬこともタイヘンなのである。

『男と女のしあわせ関係』（エッセイ）

己れの死はわからぬ

「鳥だっきゃ人の死ぬのだばわかるくせして、自分のことばわからねんだでば」

鳥は人の死ぬのはわかるが、己れの死はわからぬ――。けだし名言である。

『坊主の花かんざし㈠』（エッセイ）

ああ面白かった！

人生は美しいことだけ憶えていればいい――。私はそう考えている。苦しいことの中に美しさを見つけられればもっといい。

「――ああ面白かった」

死ぬ時、そういって死ねれば更にいい。私はそう思っている。

『淑女失格』（エッセイ）

〔人生〕

思い通りの人生は退屈である

退屈な人生

思う通りに運ばれる人生なんて、退屈以外の何ものでもない。

『死ぬための生き方』（エッセイ）

人生につまずきは必要

人生にはつまずきというものが必要なのである。つまずきのない人生なんて屁みたいなものだと常々私は思っている。つまずきがあるからこそ、人は更に力を出し、強くなっていくのだ。

『死ぬための生き方』（エッセイ）

無知を怒ること

悪意に対して怒るのは容易《たやす》いが、無知を怒ることは難しいのである。

『老兵は死なず』（エッセイ）

平穏は退屈を産む

孤独に徹すれば何も怖くない。欲望を捨てれば軽々と生きられる。平穏は退屈を産むだけだ。退屈すると人間はろくなことを考えない。

『凪の光景(下)』(小説)

失敗は気にすることはない

若いうちは人は何らかの苦痛を堪えることによって成長する。私はそう考えている。下痢によって肉体が活性化するように、心の傷手《いたで》によって人間性が豊かになると考えれば、失敗もそう気にする必要はないのである。

『こんな女もいる』（エッセイ）

悲しみを秘めて

悲しい歌を歌えば悲しくなり、楽しい歌を歌えば楽しくなる。その歌は人に聞かせるためではなく、自分のために歌う。悲しみを胸に秘めて幸福の歌を歌えば、悲しさの中に灯が灯るのだ。拍手があれば、その灯は明るさを増すであろう。それが人間関係の難しくなってきた現代を生きる生活の知恵であることに、私はやっと気がついたのである。

『女の学校』（エッセイ）

人の鍛え方

深夜、時計の音を聞きながら、間歇《かんけつ》的にさし込んで来る痛みを耐えつつ、これが間歇的に来るからまだいい、と思う。世の中にはこの痛みがぶっ通しに襲って来る病気の人もいるであろう。その人に較べたら、我慢出来ないことはない、と思う。

戦時中を考えよ！

と突然、想念は飛躍する。戦時中は何の薬もなかった。歯が痛くなっても、歯イタ頓服という気休めのような薬を飲むだけだった。頭痛には頭痛膏をコメカミに張るだけ、耳が痛いと氷嚢《ひょうのう》を耳に当てるだけ、お腹が痛いと温めるだけ、胃が痛いと唸るだけ、スリムキ傷にはツバをつけるだけ……我ら及び我らの先輩はそうして病に耐えたではないか。かつて耐えたことが、今、耐えられないわけはないッ。うーむ、チクショウ！　意地でも我慢するぞーッ！

そう思い思いしているうちに夜が白々と明けはじめる。

人は困苦欠乏によって鍛えられる。かくて私は痛みに対して強い人間になった。今のお医者さんは往診、夜間診療を拒むことによって、甘ったれの我慢知らずになった現代人を鍛えておられるのかもしれない。

『男の学校』（エッセイ）

ストレス解消法

現代人は働きすぎで、そのため過労になっているのだから、働くのをやめればいいのである。そうすれば健康法などする必要はなくなる。

ストレス解消法も同様である。

ガツガツ働く、ガツガツ働くということは、どこかで無理をし、自由を失い、我慢を重ねていることであるから、当然、ストレスが溜るのである。

溜ったストレスを解消する方法をあれこれ試みるよりは、ストレスが溜らぬように暮す方が話が早い。

ガツガツ働くのをやめること。
贅沢《ぜいたく》なんてしたくない、食べていけさえすればいい、という気持を身につけること。
カネモチになりたいと思わぬこと。
怒りたい時に怒ること、どなりたい時にどなること。
私はこれらのことを実践しているので、ストレスが溜らぬのであろうと思う。
だから解消法なんて訊かれても答えることが出来ない。
すると人がいった。
そういうあなたのまわりの人はストレスだらけですね。
そうかもしれませんな。すみません。

『男友だちの部屋』(エッセイ)

笑う立場　怒る立場

――行為せざる者は常に笑う立場にいる。行為する者は常に怒る立場に立つ。
――それが私の人生哲学のひとつだ。

『娘と私のアホ旅行』（エッセイ）

行為せぬ者

行為する者にとって行為せぬ者は、常にもっとも過酷なる批評家である。

『さて男性諸君』（エッセイ）

豊かな時は豊かなように、貧しい時は貧しいなりに

私は快適さに馴《な》れて溺《おぼ》れてしまうということが怖いのである。涼しい部屋、暖かな寝床、うまい食事、だんだん馴れてそれがなければいられなくなるのがイヤである。

豊かな時は豊かなように、貧しい時は貧しいなりに、いつも平然と生きるのが私の理想なのだ。

『女の怒り方』（エッセイ）

人生は？

人生は気魄《きはく》である。意志である。

『娘と私の天中殺旅行』（エッセイ）

ムリはいけない

人間、ムリはいけない。どんなことであれ、そう「したいからする」のでなくてはならない。

『死ぬための生き方』（エッセイ）

私が大切にしたいもの

いったい何が楽しくて生きているのですか、と驚く人がいるが、べつに楽しさを求めて生きているわけではないから、（人生は苦しいものだと思っているから）今は特に問題にするような苦労がないことに感謝している。

高級料理でなくても（自分で調理した）自分の口に合ったものを食べ、豪華でなくても優しい肌ざわりのものを着、好きな時間に風呂に入ってベッドに入る。寝たいだけ寝る。私が大切にしたいのはそれだけである。『上機嫌の本』（エッセイ）

悲劇を喜劇に

人生は悲劇である。悲劇であるからこそ私はユーモア小説を書くのだ。いっそ悲劇を喜劇にしてしまうことによって、私はそれに耐えようとしている。

『戦いやまず日は西に』（エッセイ）

絶対に安全ではない

賭《かけ》ごとの本来の目的は、当るか外れるかのスリルを味わうことにあるのであって、儲《もう》けることにあるのではない。賭の情熱は「絶対に安全ではない」というところに生じるものなので、人生もまた同じものだと私は考えている。

『何がおかしい』(エッセイ)

暢気になる

北海道の自然の厳しさの中で生きるということは、「暢気《のんき》になる」ということなのであろう。積んでも積んでも鬼が出て来てうち崩してしまう賽《さい》の河原《かわら》の石積みのように、造っては自然の力に打ち壊され、造っては壊されしながら、ここの人たちは一日一日をゆっくり積み上げて来たのだ。ここでは完全など求めてはいられないのである。

波に身体を預けて波乗りをするように自然の力に身を添わせて生活を造って行く。風や雪が壊したものを黙々と造り直す。気長にたゆまず、しぶとく、助け合って、壊されては造る。一日二日、水道が出なくてもどうということはないのである。

「人間、辛抱が肝腎《かんじん》だ」

などと殊更《ことさら》にいったりはしない。辛抱しているとは知らずに辛抱している。完全は求めない。失敗は平気。気長にしていれば一夜で枯れた山野も一年後には緑に戻るのである。

『日当りの椅子』（エッセイ）

ことの表裏

私が数千万の借金を返済したことに感心する人がいる。と同時にその感心した同じ人が、私が金を粗末にするといって私を叱る。しかしこの二つのことは、表裏をなすひとつのものなのだ。

「莫大な借金を背負っているからこそ、もっとお金を大事にしなければいけないんじゃないの」

と人はいう。もっともな意見である。しかし、人間というものは悲しいことには、道理というものだけで生きて行くほど単純に出来てはいないのである。

「お金を大切に考えていないから、借金背負うようなハメになるのよ」

という人もいる。それも一理ある見方である。しかしそんなとき私が感じることは、道理というものは何と無力なものであろうかということである。一銭を嘲《わら》う者は一銭に泣くようなハメになるかもしれないが、しかしまたそれなりに生きる力を持っていて、それなりの人生を築いて行く。人間が面白いのはそこなのである。一銭を嘲うもよし、泣くもよし。のたれ死の人生を悲惨という言葉でくくる必要もまたないのではないか。この頃、私はそう思うようになった。

『丸裸のおはなし』（エッセイ）

生き甲斐はどこだ？

現代人は生き甲斐を探しながら、一方で平穏無事にしがみついているのだ。人の生き甲斐というものは、苦難、あるいは不可能に立ち向って、それを乗り越えた時に生れるものだと私は考えている。その生き甲斐のもととなるべき目標を持とうとせずに（その目標の前に苦難や不可能があれば、あっさり目標を捨ててしまうくせに）、生き甲斐はどこだ、どこだ、と探しまわっている。

『破れかぶれの幸福』（エッセイ）

荒波のきりぬけ方

たくましい人間は現実的な力で荒波をきりぬけるが、非力な人間は精神のゆたかさできりぬける。

『こんないき方もある』（エッセイ）

そうして人は生きる

食べるということの、何というおかしく、そうして悲しいことよ！

杖とも柱とも頼む夫に死なれた中年妻が、泣きじゃくりながら葬式饅頭を三つ食べたのを私は見たことがあって、その時私は若かったから笑った。

「なにも泣きながら饅頭食べなくても」

などといった。

しかし、それが人間なのだ。人間の愛らしく、かなしいところなのだ。そうして人は生きる。それが人生だ。

『女の学校』（エッセイ）

〔幸福〕

めげずに生きようとする力

幸福の形

幸福はたった一つの形のものだと思い決めたところから不幸がはじまる。その幸福の形にむりに自分をはめ込もうとして無駄なあがきをするからである。

『こんな幸福もある』（エッセイ）

幸福のヒダ

肉体の苦しみから早くのがれたいと思う人の心は、今も昔も変りはない。しかし精神の苦しみは手っとり早く解決してしまってはならないものである。すべての人が幸福になるのはいうまでもなくよいことだ。

しかし心のヒダがのっぺらぼうの幸福は果して真の幸福といえるだろうか。

『こんな幸福もある』（エッセイ）

私の幸福

私にとって幸福とは「元気がいいこと――」ただそれひとつなのである。

『老兵は死なず』（エッセイ）

見ないほうがいいもの

すべてを明らかに見るのがいいというものではない。見る必要のないものは見ないのがいい。それが倖せへの道なのであろう。

『女はおんな』（小説）

あれこそ幸福

十二年頑張って来たおかげで、漸く安楽になったんだなあ、としみじみ思うのだが、「では今は幸福ですね」といわれると、なぜか考えてしまう。

あの走る火の玉のように毎日を送っていた頃が懐かしいのである。あの頃は持てるエネルギーをぎりぎりのところまで燃焼して生きていた。病気は苦しいが、死ぬことを心配したことはなかった。三十九度の熱でも講演が出来た。飛行機の中で原稿を書くことが出来た。

借金は働けば返せるのである。財産が何もないということは、これ以上なくなることはないということだ。何も怖いものはなかった。盆も正月もない。ただ、前進あるのみ。

あれこそ幸福というものではなかったのかと、今、六十歳の私は思うのである。「したくない仕事もしなければならなかった」ということは不幸のようだが、「したくない仕事もやれた」と考えれば、不幸の影は薄らぐ。今、「したくない仕事をしなくてすむようになった」ということは、「したくない仕事は出来なくなった」ということを意味しているのではないか？

――あの頃はよかった……幸福だった、と私は思わずにはいられない。一途に、苦労と闘えたということは（負けるとは決して思わなかったということは）、何にもまさる幸福ではなかったか。

『老兵は死なず』（エッセイ）

人それぞれの幸、不幸

これまで私は、自分の幸福について考えたことがなかった。また、不幸について考えたこともない。自分を幸福だと特に思ったこともなければ、不幸だと思ったこともない。私は生きることに忙しく、そういうことをいちいち思っている暇がなかったのだ。

そういうことを考える暇のない人生を生きることを幸福だと思う人もいるだろうし、また不幸だと思う人もいるだろう。

『何がおかしい』（エッセイ）

覚悟が必要

ことをなす場合は、何ごとにも「覚悟」というものが必要なのである。私が文学の道を行こうと思い決めた時、「行く先はまっくら」という覚悟を決めた。小説で飯が食えるようになるか、ならないか、わからないがやる、という覚悟である。植村直己が北極の氷原を犬ゾリで横断しようとした時も、覚悟を決めていたにちがいない。

文学や北極横断と不倫の愛とはハナシが別だといわれるかもしれないが、覚悟を決めなければならないことにおいては同じなのである。

『こんな暮らし方もある』（エッセイ）

幸福によって闘う

自分で自分のことを「幸福です」といえる人が増えてきたことは喜ばしいことだ。何年か前までは不倖せな顔をしている方が落ちつくし、他人にも気に入ると思っている人が多かった。自分を幸福だと認めることは、なんだか気恥かしいように思われ、いい気になっているような気がして、無理に不幸を捜《さが》したりしたものである。

二十歳の時以来、私は不幸というものと同居しているような歳月を生きたが、同居はしているが自分を不幸だと思ったことはなかった。ただ私はしたいことを一所懸命にしただけである。しなければならないからしたのではなく、したいからした。苦しいと思ったのは、不幸だからではなく、したいことに熱中するあまりに、肉体が苦しかったのだ。

「人は武器によって闘うように、幸福によって闘う」というアランの言葉が私は好きである。「倒れようとする英雄にも幸福はある」という言葉も好きだ。幸福を生命と同じように、しっかりと自分の内側に釘で打ちつけたい。

『幸福という名の武器』（エッセイ）

女の幸福

忙しく家事をすることをつまらぬことだという最近の女性の思想は、どこから来たものであろうか。己れの犠牲を犠牲と感じず、それによって喜ぶ人の歓びを自分の喜びと感じることが、なぜつまらぬことなのだろう。『女の学校』（エッセイ）

幸福の根

今、もうそろそろ自分の幸福について考えなければいけない、と思いはじめている。そしてほんとうに大事なことはただ「幸福を感じる」ことだけではなく、「幸福になろうとする」ことだということが、この頃、漸《ようや》くわかってきた。ただ、待っているだけでは、ほんとうの幸福はこないのである。自分の中に幸福の根をしっかり植えつけるには「力」が要るのである。

『何がおかしい』（エッセイ）

耐えている自分を誇りに

私は自分の人生を悲観したことなど一度もなかった、と自分に確かめるように思った。どんなに波瀾が多くても、これが私の作る人生だと思って生きてきた。幸福は与えられるものではなく、作るものだ。それと同じように不幸も向うから来るものではなく、自分で招くものだと私は考えてきた。そう考えることによって、私は耐えてきた。元気を出して耐えている自分を誇りに思うことによって耐えたのだ。

『幸福の絵』（小説）

私の財産

私は「めげずに生きようとする力」を自分の財産にしようと思った。そしてそれを私の幸福とする――。そう思うことによって、私は元気を失わずに生きて来たのである。

『上機嫌の本』(エッセイ)

堕落した！

何か便利なもの、快適なものに身を委《ゆだ》ねるとき、私は「ああ私も堕落した！」と思う。そう思いつつ、つい引きずられて「文明の利器」を利用してしまう。そしてまた思う。――ああ、とうとう私もここでまた堕落したか！　と。そのくり返しだ。しんどい。

『私の怒り方』（エッセイ）

物質的満足が幸福か？

われわれは欲望の満足に対して謙虚さを失った。何よりおそろしいことは、この物質の氾濫がわれわれの精神を物質的満足だけで占めてしまうことではないだろうか。金、家、行楽、家事の合理化機械化。そして物質的安楽。それが人間の幸福であり、人生の目標であると思いこんだところから、われわれはゆとりを失ったのではないだろうか。

『破れかぶれの幸福』（エッセイ）

避けるべきは〝苦しむこと〟？

現代人にとっては幸福イコール生活の快適といってもいいほどで、こうした生活の中では、最も憎まれ嫌われるものは何かというと、「苦痛」ということなのである。

苦痛への抵抗力を失った人間は、肉体の苦痛ばかりでなく、心の苦しみに対しても弱くなってしまった。現代では〝苦しむこと〟とは〝不合理〟ということなのだ。

『こんないき方もある』（エッセイ）

恐いもの

人間にとって恐いものがなくなるということは、あまり喜ばしいものではない、とこの頃、私は思うようになった。お化けを恐れ、神さまのバチを怖がらなくなったあたりから、我々の平和・幸福はニセモノ臭くなって来ているのではないだろうか。

『女の学校』（エッセイ）

人は無力である

人は自分以外の人間の不幸をどうすることも出来ないのだ。助けることも、慰めを与えることさえも出来ない。親子、夫婦、恋人、すべて本質的には無力なのである。

『愛子のおんな大学』（エッセイ）

倖せな人間

相手の立場というものを考えないですむ人は倖せでいいなあ……。
しかしその倖せな人間とつき合わされる方は、少しも倖せでないのである。

『こんな暮らし方もある』（エッセイ）

〔性《さが》〕

私はこんなふうに生きてきた

私の性《さが》

私は過去の苦難がすべて私の激《げき》し易《やす》い性格と単純さにあることを知っている。十分に知ってはいるが、しかし私は少しもそういう自分を改めようとは思わずにきた。改められないというよりは、私は「単純に生きること」が好きなのだった。たとえそれが苦難を呼ぶことになろうとも、である。疑うことによって身を守ることよりも、信じてひっくり返ることの方が私の性《しょう》に合っている。

『こんなふうに死にたい』（エッセイ）

ありのままに生きる

私にはわからない。何が善で何が悪か、私は決めることが出来ない。神が何を善とし悪とするのかも私にはわからない。私に出来ることはそれが神の意に適《かな》おうが適うまいが、正直に、ありのままに生きるだけである。

『こんなふうに死にたい』（エッセイ）

逃げなかった！

　確かに私は女にしては波瀾《はらん》の多い人生を生きている。だが襲ってきた苦労を、何とか打開しようと考えて努力したことは実は一度もなかった。私はただ、苦労を仕方なく受け止めただけである。それから逃げることを考えなかった。ただそれだけのことなのだ。

『上機嫌の本』（エッセイ）

強くなった女

私は強い女だとよくいわれる。しかし本当に私を知っている昔からの親友の何人かは、私が弱虫だったこと、今もまだその弱さのシッポを残していることを知っている。私は「強い女」ではなく、「強くなった」女なのだ。

私は火の手に迫られて簞笥を担いでいるうちに、腕の力が強くなって力モチになった。二度の結婚の不幸が私を鍛え、私の中に潜在していたものを引き出してくれた。私はそう思う。その意味で私は二度の結婚を後悔したことは一度もないのである。

『破れかぶれの幸福』（エッセイ）

人生の宝

私がまだ借金と戦っていた頃、私は松下幸之助氏と対談したことがあるが、その時松下さんは私の生き方についてこういわれた。

「佐藤さん、それは愉快な人生ですなア。実に愉快だ」

私はムッとし、なにをこのじいさん、カネモチなものだから、勝手なこという、と思ったものだった。だがさすが大松下。今になってはじめて私は思う。

「ああ愉快な人生だったなア」、と。（松下さん、ごめんなさい）

少なくとも私は自分の好むように生きて、そうしてここまできた。いいたいことをいい、したいようにしてきた。人を羨望せず、嫉《ねた》まず、怨《うら》まず、おもねらず、

（その代り損や誤解を山のように背負ったが）正直にありのままに生きてきた。こう生きるしかないから、こう生きた。よくもまあここまで生きてこられたものだとつくづく思う。

神は私にさまざまな苦しみを与えられたが、その代りに私を助けてくれる人々をもつかわして下さった。それを今、私は神に感謝する。もし私に苦難が与えられなかったなら、私はそれらの人々の愛情と理解に巡り会えなかっただろう。それは私の人生の宝だ。

あの時、借金を肩代りしさえしなければ、今頃はカネモチになって気楽に暮していられたでしょうにねえ、といってくれた人がいる。しかし私は思う。あの時、借金がふりかかってきたからこそ私はぐうたらの一生を過ごさずにすんだのだ、と。そうでなかったら、もともとぐうたらの私はどうなっていたかわからない。

『淑女失格』（エッセイ）

「ひとのせい」では決してない

賢者は人間、いかなる時でも平常心を失うなという。その通りだ、至言《しげん》だと私も思う。しかし私にはその「平常心」というやつがどんなものかわからないのだ。平常心とは「ふだんと変わらない落ちついた心」のことだろうが、私はふだんからそんな落ちついた心の持主ではない。ふだんから、「矢でもテッポでも持ってこい！」という心でいるものだから、何かあるとすぐ逆上してつっ走ってしまうのだ。だから外からやってきた苦労を、自分で倍にも三倍にもしてしまう。

しかしその厄介《やっかい》な気質のおかげで、まあまあ元気に人生への情熱を失わずに生きてこられた。私がなめた苦労の数々は、「ひとのせい」ではなく、自分が膨張させたものだと思えば、人を怨んだり歎いたりすることはないのである。

『上機嫌の本』（エッセイ）

上機嫌で憤怒する

まことに人間万事塞翁《ばんじさいおう》が馬だ。禍福は糾《あざな》う縄の如しだ。不幸な結婚は私を作家にしてくれた。借金は金への執着から私を解き放ってくれた。思うに委《まか》せぬ現実に突き当ることによって、私の価値観は少しずつ変って行った。おそらく生きようとする私の本能が私をそうさせたのだろう。私はいつでも上機嫌《じょうきげん》でいたい人間である。憤怒《ふんぬ》する時でさえ、私は上機嫌で憤怒する。上機嫌で憤怒するという芸当を薬籠《やくろう》中のものにするには、余計な情念、怨みつらみは捨てなければならないのである。

『上機嫌の本』(エッセイ)

損から産み出せ

私は疑うことが嫌いである。面倒くさい、といってもよい。疑うよりも信じた方がらくだから信じる。そのために私の人生は損をすることが多かった。招かなくてもすむ災難を始終背負い込むことになったが、人は背負い込んだことによって力が出るものなのだという確信を持つに到った。だからますます疑わない。損をしてもかまわないのである。その損から新しいものを産み出せばいいのだ、と考えれば、少しも傷は残らない。

『こんな暮らし方もある』（エッセイ）

「アホ」といわれることも

私の人生を一口でいうなら「楽天的」という一語に盡《つ》きると思う。また私の性質を一口でいうなら、それも「楽天的」ということになるだろう。六十八年生きてきて、つらつら過ぎし日々を顧《かえり》みると、楽天的であったからこそここまで生きてこられたのだとつくづく思う。

楽天的で向う見ず。

これが私の人生の特徴だ。

「楽天的な一生」といえば、一見、春の光に包まれているような暢気《のんき》な一生のようだが、実際には楽天家というものは苦労を浴びるように出来ているものである。

楽天家は現実に対して用心をしない。人を疑わない。何でもうまくいくと思う。

これをよくいえば「希望を失わない」ということになるのだが、それはまた同時に「アホ」といわれることにもなるのである。

『上機嫌の本』(エッセイ)

失敗って？

私のようにがむしゃらに生きてきた人間は、さぞ沢山の失敗があるだろうと人も思い、自分もそう考えたのだが、よく考えるとがむしゃらに生きる人間というものは、失敗をふり返っているヒマがないので、失敗が心に刻み込まれないのである。明らかに人の目には失敗と思えることも、私自身は失敗とは感じていないことに気がついた。
「一回目、結婚に失敗して、また二回目の結婚でも失敗しました」と私はよく書いたりいったりしているが、これも便宜上《べんぎじょう》失敗という言葉を使っているのであって、本心は失敗と思っていない。「なるようになった」と思っているだけである。他人の目には「失敗」と写っているのであろうから、その目に合せて「失敗しました」といっておこう、ま、その程度の気分なのである。

『男友だちの部屋』（エッセイ）

ヤセ我慢の効用

苦しい時泣き叫ぶと、よけいに苦しくなると私は思う。世間には泣き叫ぶことで楽になる人もいる。

考えてみると、私は今までの人生の中で、何度かその恐れ（泣いたら力を失うという）のために泣くのを耐えたことがあった。

私はもしかしたら弱い人間なのだ。一度、落ちたらもう立ち上がる力を失う弱虫の甘ったれなのだ。だから落ち込むまいとして必死で踏んばる。常にエンジンをかけて踏んばる。踏んばるためにヤセ我慢を張る。ヤセ我慢とは弱者が己れの弱さを押し殺すための方便であって、真の強者はヤセ我慢など決してしないであろう。

しかしヤセ我慢というものは、くり返し重ねているうちに、強さ（みたいなもの）を培って行き、真《まこと》の強者には及ばぬにしても、小結《こむすび》程度の強さは身について行く。私はそうして生きて来た。

『朝雨　女のうでまくり』（エッセイ）

笑いは活力のもと

私はいつもありのままの自分自身として存在していたいのだ。笑う時は腹の底から「わーッハッハッハァ」と哄笑《こうしょう》したい。そうでないと身体に活力が湧かない。私は笑いは活力のもと、と確信しているのである。

『娘と私のただ今のご意見』（エッセイ）

強くなるために

覚悟というものは、口に出していっているうちに固まって行くものだ。大人物は口に出さずに覚悟を決める。しかし私のような弱者は口に出していい立てることによって、今更後には退けぬという気持になって覚悟が決って行く。

『男の学校』（エッセイ）

猛女の高笑いへも眼差しを

数年前、我が家が破産して、債権者の包囲攻撃に晒されたとき、から元気を出して陽気に笑っていたら、人はその健気さを誉《ほ》めてくれるかと思いきや、あんなに笑っているのはおかしい、きっとどこかに金を隠しているにちがいないと疑って、私は借金とりに糾問《きゅうもん》された。人は他人の怒号や悲嘆に対しては心打たれるが、なぜか笑いに対しては心を使わない。歓喜を押さえた怒号というものはないが、悲愁を押さえた笑いというものはあるのだ。なのに美女の微笑ばかり探求して、悲痛なる高笑いの方は聞き流す。

モナリザの微笑を探求するのも結構だが、猛女の高笑いにもいささかの眼差しを注がれんことを。

『男の学校』(エッセイ)

我慢の力

人は元気なうちにしておかなければならないことが沢山ある。我慢の力を養っておくのもそのひとつだ。私は将来、重病になって苦痛と戦わなければならなくなった時のことをよく考える。薬の力も及ばない苦痛に襲われた時は、我慢の力が頼りである。元気な時から苦痛を逃れることばかり考えていると、その時になって七転八倒しなければならない。それが困る。

こんなによく効く薬があるのに、どうして飲まないの、と家の者は頭痛の頭を抱えている私にいうが、私は飲まずに頑張っている。まだ早い、この程度ではまだ頼ってはならぬと思う。そのうち気がつくと頭痛が治っていて、私は「勝った！」と嬉しくなる。

人は私のことを「変人」だという。そんな無駄な頑張りをしていると、手遅れになったりするという。しかし手遅れになることよりも、私は際限なく人や薬に頼るようになる自分がこわい。人は私のことを強いというが、強いのではない。自分が弱いことを知っているだけである。

『こんな暮らし方もある』（エッセイ）

男運が悪いんじゃない

ある時「私は男運が悪い」とこぼしたら、遠藤周作さんはこういった。

「君は男運が悪いんやないよ。男の運を悪うする女なんや」

その考え方は私の気に入った。男運が悪いというと、なにかこう受身の、消極的な人生が浮かぶが、男の運を悪くする女といえば積極的な強い力を感じるではないか。私はすべてにそういう考え方が好きだ。

『上機嫌の本』（エッセイ）

私の健康法

人は一人一人みな違う。その人その人の体質や気質、病状、その原因によって身体によいものは違ってくる筈である。あれを食べよ、これは食うなと専門家は知識によって指導するが、それが効果を上げる場合もあればそうでない時もある。確実なことは「その時のその人にとって必要な食物」であり必要な運動である。だから私は一般的な健康法や健康食品に関心がない。

風邪《かぜ》をひいて熱が出ても、私は薬で熱を下げない。なぜならば熱を出し切ることが、その時の私の身体には必要（だから熱が出ている）だと考えるからである。

『死ぬための生き方』（エッセイ）

私の中にはまだまだある

私は波瀾を経験することによって、女の人生の面白さを味わうことが出来た。怒りや歎きや苦しさが、私の中に埋もれていたものを掘り出してくれた。私の中にはまだ、埋蔵されているものがあるのではないか？　私はそう思う。

『破れかぶれの幸福』（エッセイ）

〔家庭教育〕

生きる力を培ったもの

書くことで

私は父の伝記小説を書いた。その中で私の四人の異母兄が揃って不良少年になって父と母を苦しめたことを書いた。私が三十八歳頃のことである。私は子供の頃からずっと四人の兄を批判的に見ていた。兄たちは四人ともとても面白い人で、異母妹の私を虐めたりすることはなく可愛がってくれたが、私の兄たちを見る目はいつも父母を苦しめる「困った人たち」という目だった。だから、小説の中でも「面白いが困った連中」としか書けなかった。

しかしこの頃、私はしきりに、あの頃に兄たちが耐えたであろうものを思うようになった。兄たちが耐えていると思わずに耐えていたものが見えるような気がしてきた。年をとるということのよさは、こういうことに目が向くことだ。そしてまた、そういうことに目が向くのは、私がもの書きとして生きつづけてきたおかげだと思う。

私にとってものを書くことは、人間をより理解するよすがである。何もわからずにものを書きはじめた私は、今、漸く私にとっての書くことの意味がわかった。そうでなければ私は、四人の兄を父を苦しめた存在としてしか理解せずに死んでいっただろう。

『こんな老い方もある』（エッセイ）

私の受けた家庭教育

家庭教育について私が語りを渋るのは、身をもってその難しさを知っているからである。

年中、酔っ払っている父親がいて、母親は愚痴をこぼして泣いてばかりいた。だからあんなろくでなしの息子が出来上った、と人は簡単にいう。しかし、父親が酔っ払いで一家が悲惨だったから、あんな風にはなるまいと頑張って立派な人になった、という場合もあるのだ。

「貯金通帳を眺めてはほくそ笑んでいるような奴は男のクズだ」という言葉によって、私は損得を考えず金銭に恬淡《てんたん》な男を好んだ結果、破産という不運に巻き込まれた。しかしそこから何とか起《た》ち上ることが出来たのも、金銭の損や貧乏を人生の大不幸だと考えなかった父の訓《おし》えのたまものである。

かくて、かくある。私にいえることはそれだけだ。

『男の学校』(エッセイ)

幸福になるか不幸になるか

私は、父そっくりの我儘者として周りから顰蹙《ひんしゅく》を買う女に成長した。しかし激情と激情の間には時々客観的な視野がひろがることがあり、それは母の教育（ということは母の父への批判を見聞きしてきたこと）のおかげだと思っている。

私がもの書きとしてどうやら生きてこられたのは、この激情と理性の複眼《ふくがん》を与えてもらったためかもしれない。

私は我儘という大きな欠点と同時に、人に頼らず苦しいことから逃げずに立ち向うという向う意気の強さを与えられた。

それは私の人生を決して平穏なものにしなかったが、それはそれで仕方がない。よかった、と思うしかない。

だから今、自分の娘に何を教育したかと聞かれると、これもまた答えに困る。私の生きざまが娘に染み入ったものが、彼女の幸福になるか不幸になるかわからないが、教育とはそんなものだと私は思っている。『こんな老い方もある』（エッセイ）

悲運のおかげ

貧乏は、実際に経験したことがないうちは、怖ろしいものであった。しかし実際に経験してみると、それは楽しいものでは決してないが、想像していたほど悲惨なものではなかった。

また借金取りというものも、会ったことがない間はやはり怖い存在だった。しかし実際につきまとわれてみると、怖いというよりは情けなく、いやらしく、そして滑稽に見ようとすればいくらでも滑稽になるものであることを知った。実際、たかが金のために大のおとなが目の色を変えてわめきまくるというのは本人が必死であればあるほど滑稽なことなのである。

私は娘にそういうものの見方を教えておきたいと思う。ちょっと価値観を変えれば様相は一変するのだ。それは悲境をくぐり抜ける私の唯一の防禦《ぼうぎょ》手段だった。

『枯れ木の枝ぶり』（エッセイ）

この世の常識

私は子供の頃から正直は何よりの美徳だと教えられて生きてきた人間である。人の信頼を得るのは何よりも「正直さ」である、たとえ過ちを犯しても正直にいえば許されると信じている子供だった。だからお客の靴を隠したり、落書きをしたりした後、進んで親のところへ正直にいいに行った。

正直は美徳であると教えている親は、その正直さを褒めねばならないので、されたた悪戯《いたずら》について叱ることを忘れてしまう。ついに私は「正直さを見せるために悪戯をする」という仕儀に到ったくらいであった。

長じても私の正直愛好癖（？）は抜けず、うまくない料理を、義理にうまいとはいえず（従ってテレビの食べ歩き番組のレポーターを私はホントにえらい人だと思う）、生れたての赤ン坊を見せられてもどうしても「可愛い」とはいえないで苦労してきた。

この世はうまくない料理もうまいといい、猿の親戚みたいな赤ン坊でもまあ可愛いといわなければならない仕組になっている。それがこの世の常識で、その常識あってこそ、住みにくいこの世が円滑に運営されるのだ。それが、この頃どうやらやっとわかってきた。

『上機嫌の本』（エッセイ）

荒唐無稽の自信

――俺が生きている限り、俺の娘が不幸になるわけがない――

父のこの確信は、いつか私の中にも同じような確信、目に見えぬ楽天性を育てたのだったと思う。

幼い頃、私が熱を出して寝ていると父はよく、書斎から下りて来て私の額に手を置き、

「大丈夫だ。今夜、一晩寝れば明日は下がるよ。うん、きっと下がる。お父さん

がいうのだから間違いない！」

といっては部屋を出て行くのであった。そしてその都度、私はそういう気になった。今夜、一晩辛抱すれば明日はよくなるのだ、と。

「今、少し我慢すれば明日はよくなる——」

そう思う心の奥には、

「私が惨めなどん底に沈むわけがない！」

という確信がある。この自信には何の確証も根拠もない。それが力を持ちつづけたのは、ただひとえに父の愛情の力だったと私は思うのである。

『愛子のおんな大学』（エッセイ）

〔人間〕

興味と愛情が尽きせぬ存在

身を削る

友情というものは、相手のために身を削ることによって、深まるものだと私は思っている。こぎれいな言葉やスマートなつき合いの中では、本当の友情というものは育たないのではないだろうか。理解というものは腹を立てたり立てさせたりしながら深まるものだ。〝身を削る〟ことの大切さは、友情においてばかりでなく、恋愛でも結婚生活でも、人生を生きるうえで一番大事なことだと私は考えている。

『破れかぶれの幸福』（エッセイ）

友情には時間が必要

友情というものは、決して押し付けてはならぬものだ。場合によっては友情を抱いているゆえに、ただ遠くから友人の苦闘を見守っているだけのこともある。人の目にはそれが冷ややかに映ろうとも、そのときはそうするのが大切なのだと洞察《どうさつ》する眼、相手にとって必要なものは何かということを見定めることが出来るまでには、友情も長い時間が必要なのかもしれない。

『朝雨　女のうでまくり』（エッセイ）

それぞれのらしさ

教師らしい教師――立派ではないか。
親爺らしい親爺――頼もしいではないか。
姑らしい姑――嫁サンの立場から考えるとチト困るが、はたから見ていると溜《りゅう》飲《いん》が下がる。
それぞれがそれぞれのらしさを放棄しはじめたときから混乱が生じた。

『坊主の花かんざし(一)』（エッセイ）

持って生れたもの

人はそれぞれ持って生れたものに従って、それを伸縮させながら人生を決めて行くものではないだろうか。

『愛子のおんな大学』（エッセイ）

人間の幅

経験によって人間の幅が出来て行く、と俗にいわれるが、それは何も難しいことではなく、日常の中に転がっていることを見、感じることではないかと私は思う。私のような凡俗の女は諍《いさか》いや憎しみや苛《いら》立ちを通して、やっと人間のあわれを知り、許し愛する心を育てて来たといえる。
必要な時だけの人とのつき合い、摩擦のないつき合い、苦しんだり、怒ったり、辛かったり、我慢したりすることのないすっきりと単純な生活の中で、どうして人間を知ることが出来るだろう。人への理解を深めることが出来るだろう。人間のあわれを知らずに、どうして自分の幅を広げることが出来るだろう。

『愛子のおんな大学』（エッセイ）

よい、悪いはない

よい、悪いは何もいえない、たとえどんな結果が出ようとも、そこにあるものはことの評価ではなくて、その人間が「かく生きた」という、その厳然と悲しい事実だけである。

『愛子のおんな大学』（エッセイ）

人間に賭ける

借金を仲介として私は色々な人間と交渉を持った。そうして〝人間に賭ける〟ということをやって来た。まず夫（正確にはその頃夫であった男）に賭け、これはみンごと外れた。借金の賭けは勝ったが人間の賭けは十人に九人の割で外れている。

私は人間というものに尽きせぬ興味と愛情を持っているので（それにしてはよく喧嘩《けんか》をするねとおっしゃるムキもあろうが）趣味、人間。気晴らし、人間。賭けごと、人間。ということになってしまう。

『愛子の日めくり総まくり』（エッセイ）

人間が包蔵しているもの

悪を犯す善人、エゴイズムの善人、うそつきの善人、そしてまた正直な悪人、優しい悪人、可哀相な悪人がいて少しもふしぎではないのである。人はその内奥に予測し難い可能性を包蔵して生きているのだ。私が人間を怖ろしく思いながらも信じ、信じながらもこわいのはそのためである。

『女の学校』（エッセイ）

見えそうで見えないもの

人は日々の暮しの中で自分でも気がつかないところで、本当の姿、人間の愛らしさを表しているものだ。その愛らしさに触れたとき、私の胸にはしみじみと人間に対する愛情が湧いて来る。

愛想のいい人、礼儀正しい人、人からいい人だと褒められる人、そういう人とは気持よくつき合えるが、本当のところが見えそうで見えない。

そんな風に考えると、相手が粗暴だったり、意地悪だったり不機嫌だったりしても、気にすることは全くないのである。

『女の学校』（エッセイ）

優しさの条件

優しさっていうのは、喧嘩しないとか、おとなしいというのとは違うのよ。相手の気持を忖度《そんたく》出来るっていうのは、優しさの第一の条件でしょう。

『今どきの娘ども』（エッセイ）

苦労の経験によって

他人に対する理解力や洞察力や、思いやりは、知識や勉強からでなく、苦労のつみ重なりによって養われるものなのだ。

『こんな幸福もある』（エッセイ）

矛盾を生きること

人生とは、己れのうちなる矛盾を生きることだとこの頃身に染みて思うようになった。魅力ある人とは、その矛盾を矛盾のまま、いつまでも内蔵している人だ。しかしたいていの人間は矛盾を生きることの辛さに耐えられなくて、矛盾を削り、整理し、わかり易くスッキリと筋を通して生きようとするのである。エゴイズムと優しさの相剋の中から、人間味が溢れ出て来る。人に理解されるもよし、されぬもよし。そういう人に、私は憧れる。

『女の学校』（エッセイ）

心配には愛情がある

「いいですか？『心配する』ことと『救おう』と考えることとはちがうんですよ。心配には愛情はあるけど、救おうと考えることには思い上りがある。優越感がある。優越感があるとしたら、それはもう友情ではないんですッ」

『娘と私の部屋』（エッセイ）

ありのままでいい

人の好き嫌いの殆どは、相性というものだと私は思っている。相性が悪いということは、感受性が違うということだ。多くの人に好かれる人は一般向きの感性の持ち主だともいえるのではないだろうか。個性が強い人は人から好かれる率は低いかもしれない。しかしだからといってその個性を殺して、人に好かれるように努力しなければならないというものでもないと私は思っている。好かれるためのとってつけたような努力がわざとらしく感じられて疲れさせられる人もいる。「ありのままでいいんですよ。あなたの自然でいいんですよ。人生経験を大切にしていれば、自然に魅力がそなわってくるものですよ」
と私はいいたい。

『死ぬための生き方』（エッセイ）

悪口は人なり

まず私が死んだら、雀躍《じゃくやく》して悪口をいう手合が陸続《りくぞく》と出てくるにちがいない。あの人もこの人も、と数え上げる。まずいうことが、「よく怒る人だった」「怖かった」「気が強い」「うるさがた」ということだろうが、これはあまりにありふれていて何ら新味がないから、いった人の無才を暴露するだけであろう。

少し好意的なのが「歯に衣《きぬ》きせずズバリいう」というやつだが、これも陳腐だ。好意的というよりは、悪口をいうことへの熱意が足りないと見てよいだろう。たまにいい人ぶるのがいて「でも正直な人でしたよ」などととりなす。だがこれを

いい替えれば、我儘《わがまま》で抑制が利《き》かぬ人間、ということになり、

「しかしその正直さのために迷惑を蒙った人も少なくないのである」

とつけ加える人が出てくる。世間にはすぐ怒る人間はみな権力好きであると決めたがるのが沢山いて、「権力志向の女だった」と決めつける。けちんぼう、という人もいるだろう。奇人変人、ヒステリー、ヘソ曲り、自己顕示欲の権化《ごんげ》等々、小心者は小心者らしい悪口を、単純な人は単純な評価を、懐疑派はヒネリにヒネった批評を、そうして何も知らない人は知らないままに、

「――そういう人だったんだってよ」

といって信じる。

「文は人なり」というが「悪口は人なり」ともいえるのである。

『男と女のしあわせ関係』（エッセイ）

大事なのは想像力

道を訊《たず》ねられて教える時は、「この人にはこういういい方でわかるだろうか」と考えながら教えることである。若い人に教えるのと老人に教えるのとでは教え方が違う筈《はず》だ。その老人が街を歩くのに馴《な》れている人か、そうでない人かも考える。つまり大事なのは想像力であり心配りである。『戦いやまず日は西に』(エッセイ)

まことの偉人

世の中には〝生身〟をむき出して生きている私のような人間もいるし、殻を十《と》重《え》二十重《はたえ》に固めて生きているエライ人もいる。殻と身が渾然《こんぜん》ひとつになって、ただありのまま、見えるがままに転がっているように生きている人こそ、まことの偉人といえるのである。

『男はたいへん』（小説）

人への期待

平和に生きるために、人への期待を捨てるというのも淋しいことだ。私が怒りつつ人への期待を捨てないのは、その淋しさに耐えられないためかもしれない。

『女の学校』（エッセイ）

〔男と女〕

マコトの女　いい男

愛とは？

愛とは楽しいことばかりでなく、苦渋に満ちたものなんですよ。

『こんな女もいる』（エッセイ）

愛のない人生

心そこ人を愛し苦しんだことのない人生は、実は何の得るところもない寂しい人生なのである。

『死ぬための生き方』（エッセイ）

愛は終った

男と女の愛に破局が来た場合、どちらか片方が一方的に悪いということはない、と考えている。片方がどんなに相手を非難し、自分の正当性をいい立てたとしても、(そしてまた、外目にはそう見えたとしても)冷静に見ればその責任は本当はフィフティ・フィフティなのである。

だがたいていの人は、どちらか一方が悪いと極《き》めて現象的に判定を下したがる。悪いとか悪くないの問題をほじくるよりも「愛は終った」とさっぱりと考える方がいいのではないのか。そう考えるよう、努力すべきではないのか。

『男友だちの部屋』(エッセイ)

女のユーモア

まことに、女とは常に一生懸命、一心不乱、必死のもので、そこに女のユーモアが生れる。

つまり女は生マジメゆえにユーモラスになるのであって、それゆえ、しばしば女はユーモアを解する人ではなく、ユーモアの素材となるのである。

『朝雨　女のうでまくり』（エッセイ）

〈どうしようもない〉ことに耐える

失恋ということの、最もやりきれない点は、それをだれのせいにもすることができないということだと思う。

火事や盗難や破産などとちがって、現実生活の中で奮闘することで解決していけるものでもなく、また、肉体の病いとちがって、薬や手術でなおすわけにもいかない。

たとえ相手をなぐりとばしたところで、心のキズが消えるものでもなく、恨《うら》めば恨むほど、見返してやろうとすればするほど、また、愛をとりもどそうとすればするほど、苦痛はあざやかになるばかりである。

結局は、月日がそれを少しずつ消していってくれるのを待つ以外に、どうしようもない。しかしこの〈どうしようもなさ〉に耐えている間に、その人の心は目に見えぬさまざまの知恵を身につけているのだ。

〈どうしようもない〉ことに耐える、自分ではどう奮闘のしようもないことにぶつかるということは、人の成長のうえでたいへん意味のあることだと私は思う。

『おしゃれ失格』（エッセイ）

真剣勝負

男女関係に於《お》いて女は常に真剣勝負でいるけれど、男はそういつも真剣勝負ではないのです。女性はまず、そのことを認識しておいた方がよろしい。

『こんな女もいる』（エッセイ）

女自身に対して

女はもっと強くならなければならない。しかしそれは男に対してではなく、女自身に対してなのである。

『三十点の女房』（エッセイ）

面魂

私の波瀾《はらん》多い生きざま、苦難との闘い、撃ちてしやまんの気概、真理を洞察せんとする眼力、そういうものが私の面魂を養ったのでありましょう。女として大切なことは何かというと、美人であるとかチャーミングだなどといわれて男どもにもてはやされることではない。

そんなものは、生れつき与えられた瑣末事《さまつじ》に過ぎんのです。己れの力で創《つく》り上げるものこそ大事なのである。即《すなわ》ち面魂こそ、それです！

『女の怒り方』（エッセイ）

美しい中年

一向に念を入れて装っていない人なのに、美しい感じを人に与える中年婦人がいた。中年婦人の集まりの中で何となく目立つ。何が彼女を目立たせるのかと観察しているうちに、中年にとって大切なものはハダの若さや化粧じょうずではなく、身ごなしの機敏さであることがわかった。

『こんないき方もある』（エッセイ）

マコトの女

「女はバカで困るよ」

と男がいったときは、黙ってニコニコしているのがよい。人間は常に一分のスキもないほど利口である必要はない。バカである時は大いにバカであるほうがいいのだ。そこで男と女のバランスがとれる。男のほうだって、たいして利口なのがそろっているわけではないのだ。弱き男が優越を示そうとして女をバカ呼ばわりするときは、そうさせてやればいい。それで男が女をやっつけたつもりでいるならば、やっつけられたフリをしているのがいいのだ。

それがマコトの女というものである。

『おしゃれ失格』(エッセイ)

強さよりも大きくなることを

強くなるということは、やたらに傷ついた傷つけられたと騒がぬことである。人を傷つけるのはよくないことだろうが、むやみに傷つく方もよくないとかねてから私は思っている。女はもう十分に強い。ますます強くなるだろう。弱さを武器にして戦いをいどむのはもうやめよう。そろそろもう女性は強さよりも「大きくなる」ことを志向する時が来ているのではないだろうか。

『戦いやまず日は西に』（エッセイ）

男の美しさ

闘いの激しさと勝利と権勢、あるいは敗北、挫折、妥協の悲しみ、あるいは燃える野心、情熱、孤独……男性の顔が語っているそれらの痕跡が、彼の人生の歴史をありありと物語っているのを私たちは見ることができます。私たちが男性の顔を美しいと思うのは、そんな顔に会ったときです。男の顔の美しさは、その人の精神の歴史の痕跡が作り出している美しさにほかなりません。

『こんないき方もある』（エッセイ）

女にサービスできる男

女にサービスすることを知っている男は、何らかの点ですぐれた個性を発揮している人たちであり、心の余裕を持っている人たちである。

『こんないき方もある』(エッセイ)

いい男

「自分をいい男だと自負している男に、いい男がいたためしがない」

これが私の持論である。

ハンサムは己れの顔を忘れなくてはいけない。忘れたときからまことのいい男になって行く。醜男《ぶおとこ》もまた、自分の顔を忘れなければならない。忘れたときから彼もまた、いい男になるのである。

たまたま、「いい男とは何か?」と質問するハイミスがいて、私は答えた。

「キリストを見よ、釈迦を見よ、はたまたソクラテスを見なさい。昔から聖人偉人といわれる男はすべていい男に生れたのではなく、いい男になったのです。昔、フランスの革命政治家ミラボーは、ひどいアバタ面でした。

ある貴婦人がミラボーを尊敬するあまり、肖像画を下さいというと、ミラボーは言下にいいました。『虎をごらんなさい。虎にアバタがあると思えば私の顔になります』と。このミラボーは女に好かれること無類で、彼のまわりにはいつも女がつきまとっていたといいます。これぞ、いい男の代表というべき人物ではありませんか。男の顔は男の人生を語るものです」

『男友だちの部屋』（エッセイ）

男の美学

昔は「痩せ我慢」が男の美徳とされていたから、昔の男は痩せ我慢に馴れていた。痩せ我慢をするように子供の時からしつけられていた。だから友情のために女への愛を思い切る（友達に譲る）とか、恩師の反対に従うために愛を断ち切る、などということをしたのだ。

観念で情念を抑え込むことが出来たのである。痩せ我慢の修業をさせられたことのない今の若者が、ムリに自分を抑え込もうとするとヒビが入ってしまう。今の男に「男の美学」は持てないのである。

『死ぬための生き方』（エッセイ）

男の涙

男の涙は一筋、しかも風で乾かすべきものなのである。

『私のなかの男たち』（エッセイ）

考え違い

ずいぶん長い間、考え違いをしていたことがこのごろ、やっとわかった。男というものは女よりも強いものだと教えられ、まわりのおとなの女たちが兢々《きょうきょう》として平伏《へいふく》しているのを見て育った私は、心身ともに男は強いものであると信じ込んでいた。男一人の力で妻や何人もの子供の生活を守っているのであるから、威張《いば》ってもしようがないわ、と思っていたのである。

しかしこのごろになってようやく男の強いのは主として膂力《りょりょく》であったことがわ

かって来た。耐久力、我慢の力は女に及ばない。男は小心で、寂しがりの弱虫だったのだ。病気になった時の男の騒ぎよう、つらがりようを見ると、苦痛に耐える力がないことがよくわかる。

そのくせ何かというと女をバカにした。「女子供」と一束にいうことによって自分を高みに置いてみたり「嫉妬《しっと》」という字を女偏《へん》にしてみたり「姦《かしまし》い」を女を三つ書くことにしたり……。男が本当に強いものであれば、ことさらに女をののしり、ないがしろにすることはなかったであろう。いったい男は女の何を恐れて、このように寛大さを失い必要以上に蔑視《べっし》しようとしたのであろう？　いや、何かを恐れて寛大さを失ったのではなく、本来、狭量《きょうりょう》だったのかもしれない。

『日当りの椅子』（エッセイ）

決断が背負うもの

私の波瀾の人生は三十年前、岐路における決断からはじまった。最初のその決断が次の決断を呼び、更に次の決断を呼んだ。そうしてその決断のたびに私は前進はしたけれども、また少なくない犠牲を作り出してしまった。今こうして、これからもその犠牲を背負って生きる。

決断するということは、なんらかの形で犠牲を産むということだ。私はそれを知らずに決断して来た。決断に手間取る人をもどかしがったりした。

だが今になって漸《ようや》くわかった。

決断と同時に多かれ少なかれ、我々女の背にかかるものがあるということが。

多分、男性は我々女よりもそのことを知っているのだ。だからこの頃の男は、総意に頼って、決断から逃げるようになったのかもしれない。決断の結果を背負い、犠牲に耐えるだけの力を失ってしまった今の男性たちは。

『枯れ木の枝ぶり』（エッセイ）

〔夫婦〕

失敗しても結婚した方がいい

亭主はいた方がいい

どんなボンクラでもいいから、亭主はいた方がええ。

『男の結び目』（エッセイ）

きめつけることはない

女は独身でいるよりは、たとえ失敗しても結婚した方がよい。忍耐だけで成り立っている結婚生活をしているよりは、別れた方がよい。別れて一人で無理な頑張りようをしているよりは再婚した方がよい。ものごとに〈こりた〉などという考えはよくない考えである。自分はこうだからダメだときめてしまう考え方も、よくない考えである。

『三十点の女房』（エッセイ）

夫から男友達へ

考えてみれば、ヤギちゃん（モト亭主）もいい男だったなァとしみじみ思うことがある。

しみじみ思うというこのキモチ、これはなかなか悪くない。別れた夫を不倶戴《ふぐたい》天《てん》の仇かなんぞのように思うよりも、色々あったがいい男だったねェ、と思う方がなんぼうかよろしい。

もし私たちが別れなかったならば、私はヤギちゃんの美点を忘れ、欠点ばかりいい立てて、習慣化した夫婦喧嘩に明け暮れ、フケ頭に向って固くなったお餅を投げつけたり、雑巾バケツの水をぶっかけたりして今尚《なお》忙しいことだろう。

今は私は平穏になり、ヤギちゃんも平和を得、お互いになごやかである。夫から男友達に変ったことは本当によかった。めでたしめでたし。

『男友だちの部屋』（エッセイ）

男と女のチガイ

ある男が述懐して曰く。

嫌いだ、ニクいと思っている女房と、会社の帰り道でひょっこり出会った。女房は買い物籠《かご》を下げ、その籠から大根のハッパと葱《ねぎ》が出ている。

オレが嫌っていることも知らず、こうして夕餉《ゆうげ》の買い物をしているのか！

そう思うといううにいえない哀れがこみあげて来て、別れたいと思いながら、つい十年過ぎてしまった、と。

「男というもんはどうしようもないシロモノねェ」

と常々思うことの多い私だが、こういう話を聞くとちょっと感動する。かえりみて女はどうか。

嫌いだニクいと思っている亭主と道でひょっこり出会った。亭主は古鞄を下げ、くたびれて黄色い顔をしてニコニコと手を上げた。

私が嫌っていることも知らず、なんて鈍感なあの顔！

とますますイヤになる。これ男と女のチガイね。『愛子の新・女の格言』（エッセイ）

夫婦の不思議

あるところに年中、夫婦喧嘩ばかりしている夫婦がいた。私ははじめ、その夫なる人をやさしさのない人だと思っていた。ちょっとしたことにもすぐに腹を立てて奥さんや子供をどなったり、殴ったりするからである。ところがある日、私はその奥さんが、

「ああ見えてもうちの主人はやさしいのよ」
といっているのを聞いて驚いた。
その奥さんは片脚が短いうえにひどい近眼だったが、彼はどんなに怒ったとき
でも、そういうことだけは一度も口にしたことがなかったという。
夫婦喧嘩ばかりしているからといって、必ずしも仲の悪い夫婦だと決めること
はできない。やさしい人に見えてもやさしいとは限らないし、やさしくない人に
見えてもやさしい人がいるのである。

『丸裸のおはなし』（エッセイ）

似たもの夫婦

世の中に「似たもの夫婦」という言葉があるが、これはなかなか面白い言葉だと思う。この言葉を「性質が似ている夫婦」という意味よりも「夫婦は次第に似てくる」というふうに使いたいと私は思う。最初から相性が合っていた夫婦ではなくて、夫婦として暮しているうちに相性が合って来た、相性というものははじめから合っているものではなくて、生活の中で合って行くものだという考えかたである。

仲のよい夫婦を見ていると、どの夫婦にもどこかある一点で共通したものがあり、それによってそれなりの均衡を保っていることがわかる。結婚前にはなかったものがふえ、あったものが減っている。といって二人の性格がタマゴのように似て来たというわけではなく、それぞれの個性の中でどこか一点、ものの考えかた、見かた、趣味、人生の目的などで共通の部分を持っているということだ。

『おしゃれ失格』（エッセイ）

夫婦はこの時のためにある

「人間の幸せというものは、年老いてからの生き方で決るものです。若い頃――血気さかんな頃はやれ幸福だ不幸だといったって、たいしたものじゃありませんよ。幸福だと思ってもそのうちいつか消えて行く幸福だったりね、不幸だったとしても撥ね返せる不幸だったりね。たえず流動しているんですよ。しかし年老いてからはもう撥ね返せない。撥ね返すエネルギーもなくなっているし、第一時間が限られている。だから、その時こそ、幸せを大事に育て守らなければならんのですよ。夫婦というものはその時のためにある、私はそう考えています。エネルギーも時間もなくなった時こそ、いたわり合い、慰め励まし、築いて来たささやかな幸福を二人して守るんです……そう思われませんか？　奥さん……」

『花は六十』（小説）

勝つも負けもない

夫婦げんかの邪道は、自分の正しさを相手に押しつけようとするけんかである。人間の正しさというものは、それぞれの立場や生き方によって、それぞれの形があるものであるから、女房にとっての正しさが必ずしもご亭主の正しさになるとは限らない。

だから自分の正しさが絶対無二のものであると考えて、それを通すためにけんかをしては爽快なけんかは出来ないのである。

そもそも夫婦げんかというものは、勝負をつけようとするものではなくて、感情の抑圧を発散させるものだ。勝つも負けるもない。

ただ怒りが（口惜しさが、悲しさが、いらだちが）発散し解消すればよいのだ。

『三十点の女房』（エッセイ）

比較は意味がない

完全無欠の理想の夫など世の中には金輪際いはしないのだ。隣の旦那さんのことは一部分しか見えないが、わが夫は全体が見える。悪い部分もいい部分も見える。悪い部分の裏側は、ある面から見ればいい部分かもしれず、いい部分の裏側は悪い面かもしれない。現実というものはそういう形をもっていて、人間はその総和を生きているので、そう考えれば人間の比較ほど無意味なことはないのである。

『こんないき方もある』（エッセイ）

あとがき

海竜社の下村のぶ子女史から、私の過去の著作から選んで、「愛子箴言集」を出したい、といわれた。

広辞苑によると、箴言とは、「いましめとなる短い句・格言」とある。だとすると、私なんぞ、八十八年間、七転八起、おきあがり小法師のように生きてきただけで、人さまから戒められこそすれ、戒める立場に立てるような人間ではない。

その上、有識者どころか、常識も覚束ないというよりも、踏んづけ蹴飛ばし、生身を晒して生きてきただけであるから、そうして身についてしまった私の思想（――というほど大そうなものではなく、「考え方」というようなもの）は、どうやら、世間の感性や価値観にそぐわない独特のものであるらしく、下村女史は、その「珍種」に、稀少価値を見出して下されたようである。

それにしても編纂にたずさわって下さった仲田てい子さんはさぞかし心身をすり減らされたことでしょう。まるで私の吐いたゲロの腑分《ふわ》け（？）をさせられるような心境だったでしょう。ほんとうにご苦労さまでした。有難う。

「ためになりました」という読後感は期待していないけれども、「ふーん、こういう考え方もあるのネ」くらいの関心を持っていただけたら、嬉しいです。

二〇一二年七月

佐藤愛子

出典著作（出版年順）

エッセイ

『さて男性諸君』
『三十点の女房』
『おしゃれ失格』
『破れかぶれの幸福』
『愛子のおんな大学』
『私のなかの男たち』
『丸裸のおはなし』
『坊主の花かんざし』
『男の結び目』
『朝雨　女のうでまくり』
『女の学校』
『娘と私の部屋』
『こんな幸福もある』
『男の学校』
『枯れ木の枝ぶり』
『娘と私のアホ旅行』
『愛子の日めくり総まくり』
『こんないき方もある』
『男友だちの部屋』
『愛子の新・女の格言』
『娘と私の天中殺旅行』
『女の怒り方』
『日当りの椅子』
『幸福という名の武器』
『男と女のしあわせ関係』
『老兵は死なず』
『娘と私のただ今のご意見』
『こんな暮らし方もある』
『今どきの娘ども』
『こんなふうに死にたい』
『こんな老い方もある』
『淑女失格』
『上機嫌の本』
『我が老後』
『死ぬための生き方』
『戦いやまず日は西に』
『何がおかしい』
『こんな女もいる』

小説

『男はたいへん』
『花は六十』
『幸福の絵』
『女はおんな』
『凪の光景』

［著者紹介］佐藤愛子（さとう　あいこ）
1923年（大正12年）、大阪に生まれる。甲南高女卒業。
1969年（昭和44年）、『戦いすんで日が暮れて』で第61回直木賞を、1979年（昭和54年）、『幸福の絵』で女流文学賞を、2000年（平成11年）、『血脈』で、第48回菊池寛賞を受賞。ユーモア溢れる世相風刺と、人生の哀歓を描く小説およびエッセイは多くの読者の心をつかむ。
著書に『私の遺言』（新潮社）、『血脈』『わが孫育て』『我が老後』シリーズ ――『我が老後』『なんでこうなるの』『だからこうなるの』『そして、こうなった』『それからどうなる』『まだ生きている』『これでおしまい』『愛子の詰め合わせ』『院長の恋』『老兵の進軍ラッパ』（以上、文藝春秋）、『これが佐藤愛子だ』自讃ユーモアエッセイ集シリーズ（集英社）、『日本人の一大事』『老い力』『女の背ぼね』（ともに海竜社）ほか多数がある。

佐藤愛子の箴言集
ああ面白かったと言って死にたい

二〇一二年七月三十日　第一刷発行
二〇一二年九月十五日　第五刷発行

著　者＝佐藤《さとう》　愛子《あいこ》
発行者＝下村のぶ子
発行所＝株式会社　海竜社
東京都中央区明石町十一－十五　〒一〇四－〇〇四四
電　話　東京（〇三）三五四二－九六七一（代表）
FAX　（〇三）三五四一－五四八四
郵便振替口座＝〇〇一一〇－九－四四八八六
出版案内　http://www.kairyusha.co.jp
本文組版＝株式会社盈進社
印刷・製本＝半七写真印刷工業株式会社
落丁本・乱丁本はお取り替えします

ISBN978-4-7593-1266-9　C0095